Mon Premier Larousse des POÉSIES

ILLUSTRATIONS

Fabienne **Burckel**
Séverine **Cordier**
Rémi **Courgeon**
Kitty **Crowther**
Marie **Delafon**
Gaëtan **Dorémus**
Delphine **Durand**
Katja **Gehrmann**
Charlotte **Labaronne**
Olivier **Latyk**
Séverin **Millet**
Sacha **Poliakova**
Anouck **Ricard**
Hélène **Riff**
Fabrice **Turrier**
Mireille **Vautier**
Vanessa **Vérillon**
Anne **Wilsdorf**

Illustration de couverture :
Delphine **Durand**

Poésies choisies par Anne **Bouin**

Direction artistique : Frédéric **Houssin** & Cédric **Ramadier**
Conception graphique & réalisation : **DOUBLE**

Édition : Marie-Claude **Avignon**
Direction éditoriale : Françoise **Vibert-Guigue**
Direction de la publication : Marie-Pierre **Levallois**
Correction : Delphine **Godard** et Chantal **Pagès**
Fabrication : Nicolas **Perrier**

ISBN 2-03-565112-3 • Imprimé en Malaisie • Photogravure : AGC
Dépôt légal : octobre 2005 • N° de projet : 10114857
Conforme à la loi n° 49956 du 16 juillet 1949 sur les publications destinées à la jeunesse.

Mon Premier Larousse des POÉSIES

Poésies

Sommaire

Mots d'animaux

Saisons de la nature

Choses de la vie

Magie et enchantements

Comptines

André Bay

Illustrées par Anouck Ricard

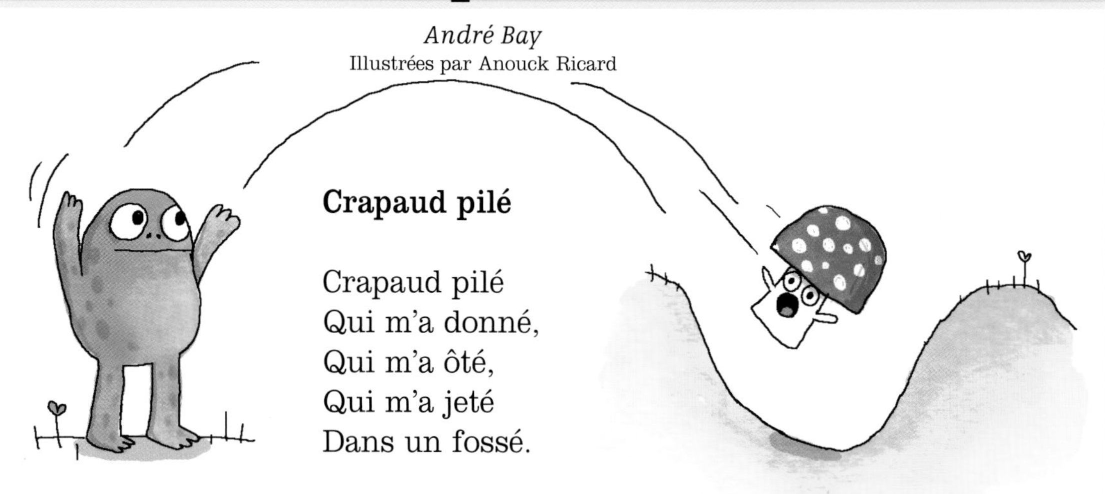

Crapaud pilé

Crapaud pilé
Qui m'a donné,
Qui m'a ôté,
Qui m'a jeté
Dans un fossé.

Petit oiseau d'or et d'argent

Petit oiseau d'or et d'argent
Ta mère t'appelle au bout du champ
Pour y manger du lait caillé
Que les souris ont barboté
Pendant deux heures de temps
Va-t'en.

Margot la pie

Margot la pie
A fait son nid
Dans la cour à David
David l'attrape
Lui coupe les pattes
Ric-rac
Comme une patate.

C'est la poule grise

C'est la poule grise
Qui pond dans l'église ;
C'est la poule noire
Qui pond dans l'armoire ;
C'est la poule brune
Qui pond dans la lune ;
C'est la poule blanche
Qui pond sur la planche.

Quatre-vingts moutons

Quatre-vingts moutons
Autant de cochons
J'ai bu la rivière
J'ai mangé sans pain
Et j'ai encore faim.

Le petit lézard

Le petit lézard
Qui se lève tard
À midi passé
Vient pour déjeuner
Avec un pain rond
Quatre saucissons
Vin rouge et vin blanc
Ah ! qu'il est content !
Va-t'en !

Comptines et petits poèmes

Illustrés par Séverine Cordier

La chenille

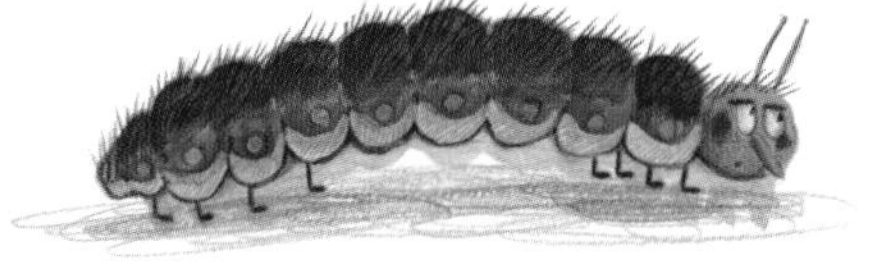

La brise de ce matin
courbe les poils
d'une chenille.

Buson

Le papillon

Même poursuivi
le papillon
ne semble jamais pressé.

Garaku

Le ver luisant

Que se passe-t-il ? Neuf heures du soir et il y a
encore de la lumière chez lui.

Jules Renard

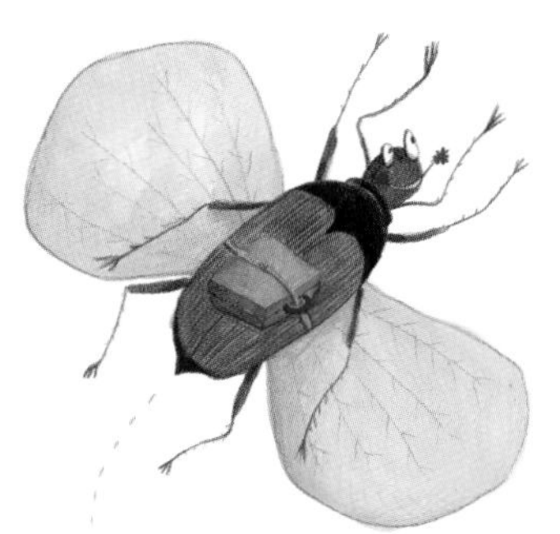

Le hanneton

Un bourgeon tardif
s'ouvre et s'envole du marronnier.

Jules Renard

L'escargot

Il se promène dès les beaux jours, mais il ne sait marcher
que sur la langue.

Jules Renard

Le corbeau

– Quoi ? quoi ? quoi ?
– Rien.

Jules Renard

À l'alouette

Sitôt que tu es arrosée
Au point du jour de la rosée
Tu fais en l'air mille discours.
En l'air, des ailes, tu frétilles
Et, pendue au ciel, tu babilles
Et contes au vent tes amours.

Pierre de Ronsard

La fourmi

Une fourmi de dix-huit mètres
Avec un chapeau sur la tête,
Ça n'existe pas, ça n'existe pas.
Une fourmi traînant un char
Plein de pingouins et de canards,
Ça n'existe pas, ça n'existe pas.
Une fourmi parlant français,
Parlant latin et javanais,
Ça n'existe pas, ça n'existe pas.
Eh ! Pourquoi pas ?

Robert Desnos

Le martin-pêcheur

Robert Desnos
Illustré par Marie Delafon

Quand Martin, Martin, Martin
Se lève de bon matin,
Le martin, martin-pêcheur
Se réveille de bonne heure.

Il va pêcher le goujon
Dans le fleuve, auprès des joncs,
Se régale d'alevins,
Boit de l'eau mais pas de vin.

Puis Martin, Martin, Martin
Va dormir jusqu'au matin.
Je souhaite de grand cœur
Devenir martin-pêcheur.

Les papillons

Jean Rameau

Illustré par Delphine Durand

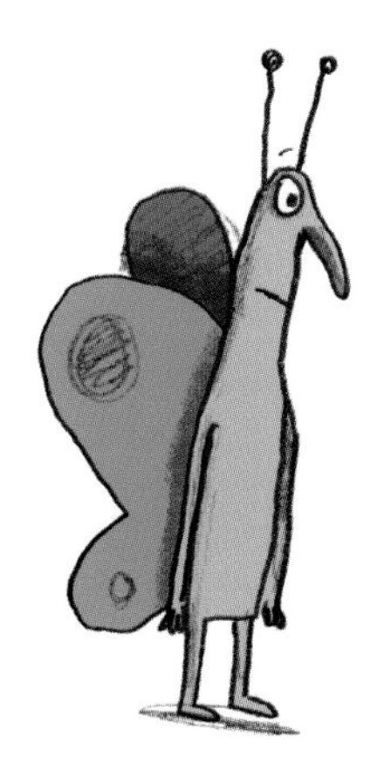

Blancs, bleus, gris, noirs, prompts, gais, fous, lestes
Et titubants, et fanfarons,
Les papillons, ces fleurs célestes,
Battent l'air de leurs ailerons.

Ils déjeunent de primevères,
Font la dînette sur les lis,
Et vont boire de petits verres
D'azur dans les volubilis.

Berceuse des escargots

Pierre Gamarra
Illustré par Gaëtan Dorémus

Dors, mon doux cornu,
Dors ma coquillette,
Dors, petit pied nu,
Dors, enfant rayé,
Ce soir, pousseront toutes les salades,
Ce soir, glisseront des pluies et des pluies.

Dors, mon petit gris chéri,
Dors, ma perle rose,
Dors, mon escargot
Mal encoquillé,
Nous irons demain par des chemins
d'ombre,
Sous les châtaigniers où dansent les cèpes.

Dors, mon bébé gras,
Dors, ma tendre hélice,
Dors, mes petits yeux
Déjà remuants.
Les canards sont morts, dors, fils d'escargot,
Nous irons, demain, voir tante Scarole.

Le ver

Pierre Coran
Illustré par Delphine Durand

Un ver de terre
Rêvait souvent
De devenir un ver luisant.

Pour se donner plus blanche mine,
Il se roula
Dans la farine.

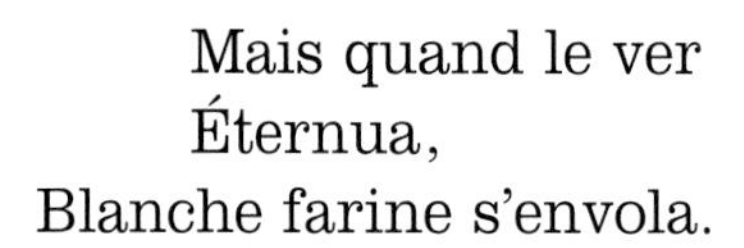

Mais quand le ver
Éternua,
Blanche farine s'envola.

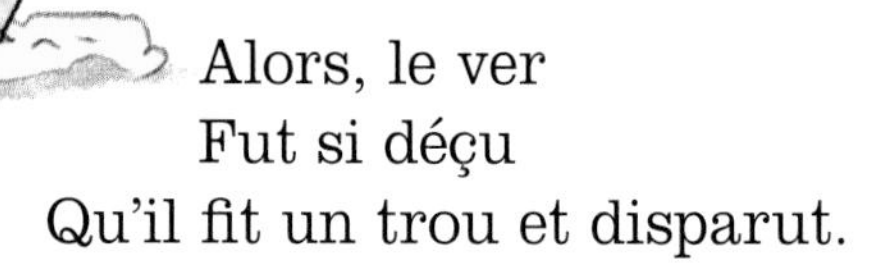

Alors, le ver
Fut si déçu
Qu'il fit un trou et disparut.

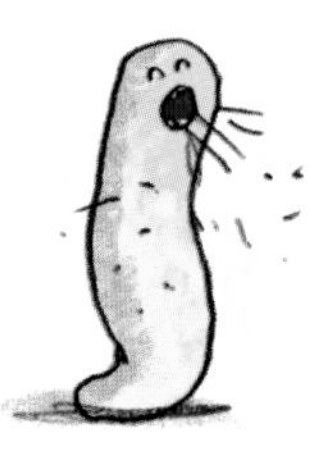

FARINE

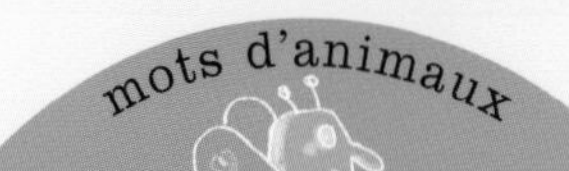

La grenouille aux souliers percés

Robert Desnos
Illustré par Kitty Crowther

La grenouille aux souliers percés
A demandé la charité.
Les arbres lui ont donné
Des feuilles mortes et tombées.

Les champignons lui ont donné
Le duvet de leur grand chapeau.

L'écureuil lui a donné
Quatre poils de son manteau

L'herbe lui a donné
Trois petites graines.

Le ciel lui a donné
Sa plus douce haleine.

Mais la grenouille demande toujours, demande encore la charité
Car ses souliers sont toujours, sont encore percés.

L'enterrement d'une fourmi

Maurice Rollinat
Illustré par Sacha Poliakova

Les fourmis sont en grand émoi,
L'âme du nid, la reine est morte.
Au bas d'une très vieille porte,
Sous un chêne va le convoi.

Le vent cingle sur le sol froid
La nombreuse et fragile escorte.
Les fourmis sont en grand émoi :
L'âme du nid, la reine est morte.

Un tout petit je-ne-sais-quoi
Glisse, tiré par la plus forte :
C'est le corbillard qui transporte
La défunte au caveau du roi.
Les fourmis sont en grand émoi.

Lapins

Théodore de Banville
Illustré par Delphine Durand

Les petits lapins, dans le bois,
Folâtrent sur l'herbe arrosée
Et, comme nous le vin d'Arbois,
Ils boivent la douce rosée.

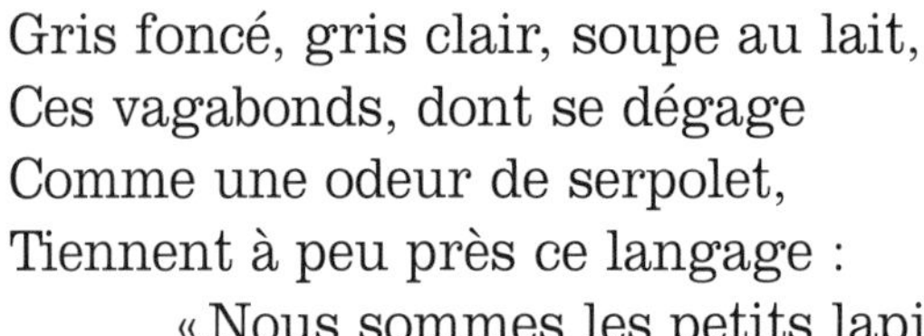

Gris foncé, gris clair, soupe au lait,
Ces vagabonds, dont se dégage
Comme une odeur de serpolet,
Tiennent à peu près ce langage :
« Nous sommes les petits lapins,
Gens étrangers à l'écriture,
Et chaussés des seuls escarpins
Que nous a donnés la nature.
Nous sommes les petits lapins.
C'est le poil qui forme nos bottes,
Et, n'ayant pas de calepins,
Nous ne prenons jamais de notes.
Et dans la bonne odeur des pins
Qu'on voit ombrageant ces clairières,
Nous sommes les petits lapins
Assis sur leurs petits derrières. »

Le cheval

Chant indien
Illustré par Sacha Poliakova

Comme il hennit joyeusement !
Écoute, le cheval turquoise du Dieu soleil,
Comme il hennit joyeusement !
Debout sur des peaux précieuses,
Comme il hennit joyeusement !
Là-bas il se repaît de pétales de jeunes fleurs,
Comme il hennit joyeusement !
Là-bas il boit le mélange des eaux saintes,
Comme il hennit joyeusement !
Là-bas il soulève la poussière des étoiles,
Comme il hennit joyeusement !
Tout caché dans le brouillard des pollens sacrés,
Comme il hennit joyeusement !
Là-bas ses rejetons se multiplient éternellement,
Comme il hennit joyeusement !

Le loup et l'agneau

Jean de La Fontaine
Illustré par Anne Wilsdorf

La raison du plus fort est toujours la meilleure :
Nous l'allons montrer tout à l'heure.

Un agneau se désaltérait
Dans le courant d'une onde pure.
Un loup survient à jeun, qui cherchait aventure,
Et que la faim en ces lieux attirait.
« Qui te rend si hardi de troubler mon breuvage ?
Dit cet animal plein de rage :
Tu seras châtié de ta témérité.
– Sire, répond l'agneau, que Votre Majesté
Ne se mette pas en colère ;
Mais plutôt qu'elle considère
Que je me vas désaltérant
Dans le courant,
Plus de vingt pas au-dessous d'Elle ;
Et que par conséquent, en aucune façon,
Je ne puis troubler sa boisson.
– Tu la troubles ! reprit cette bête cruelle ;
Et je sais que de moi tu médis l'an passé.
– Comment l'aurais-je fait si je n'étais pas né ?
Reprit l'agneau ; je tette encor ma mère.
– Si ce n'est toi, c'est donc ton frère.
– Je n'en ai point. – C'est donc quelqu'un des tiens ;
Car vous ne m'épargnez guère,
Vous, vos bergers et vos chiens.
On me l'a dit : il faut que je me venge. »
Là-dessus au fond des forêts
Le loup l'emporte, et puis le mange,
Sans autre forme de procès.

Conjugaison de l'oiseau

Luc Bérimont
Illustré par Séverine Cordier

J'écris
(à la pie)

J'écrivais
(au geai)

J'écrivis
(au courlis)

J'écrirai
(au pluvier)

J'écrirais
(au roitelet)

Écris !
(au sirli)

Que j'écrive
(à la grive)

Que j'écrivisse
(à l'ibis)

Écrivant
(au bruant)

Écrit
(au pipit)

Chatterie

Pierre Albert-Birot

Illustré par Kitty Crowther

Chat chat chatte
Noir et blanc
Jour couchant
Prends ma patte
Dans ta main
Trop humain
Trop humain
Trop félin
Trop félin
Ton nez rose
Me repose
Des maisons
Des raisons
Mes prisons
Tu t'en fiches
Tu te niches
Sur mon cou
Ton miaou
Me câline
Dodeline

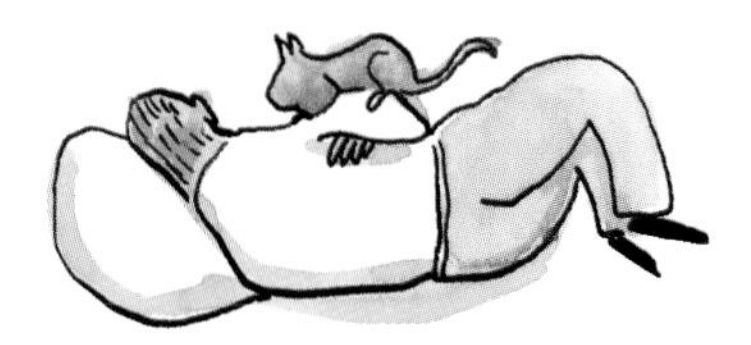

Ton ronron
Me fait rond
Le cœur blond
Amoureuse
Et frileuse
Tu me dis
Mon ami
L'heure sonne
Mais personne
Que nous deux
Poil soyeux
Qui se joue
Sur ma joue
L'allumeur
Le bruit meurt
Chatte et homme
Font un somme
Plus un bruit
C'est la nuit

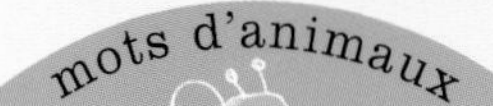

Monnaie de singe

ou Le bestiaire anatomique, psychologique et anthropomorphique

Georges-Emmanuel Clancier
Illustré par Séverine Cordier

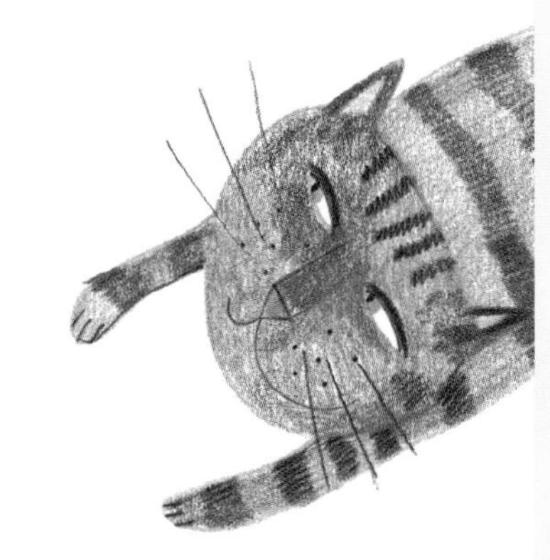

Œil de lynx
Œil de bœuf
Œil de faucon
Œil de chat
Œil de perdrix

Monnaie de singe

Tête de linotte
Tête d'étourneau
Tête de cochon
Tête d'âne
Crâne de piaf
Cervelle d'oiseau
Mémoire d'éléphant

Monnaie de singe

Oreilles d'âne
Bec de lièvre
Langue de vipère
Gorge de pigeon
Dents de loup

Monnaie de singe

Faim de loup
Appétit d'oiseau
Larmes de crocodile
Rire de cheval
Froid de canard

Monnaie de singe

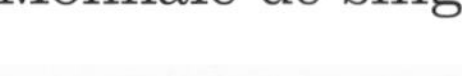

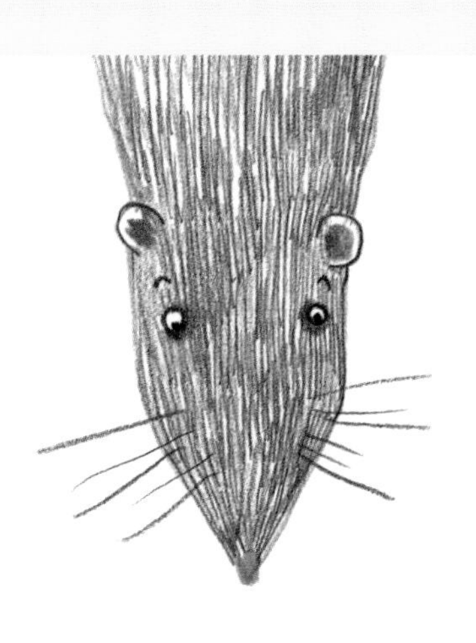

Cou de taureau
Cou de girafe
Épaule de mouton
Côte de bœuf
Dos d'âne

Monnaie de singe

Dos de chameau
Sommeil de loir
Cœur de lièvre
Cœur de lion
Pavé de l'ours

Monnaie de singe

Museau de souris
Face de rat
Taille de guêpe
Croupe de jument
Cuisses de grenouille

Monnaie de singe

Main de serpent
Patte d'oie
Pied de porc
Pied d'élan
Saut de puce

Monnaie de singe
Et pet de lapin

Les deux rats, le renard et l'œuf

Jean de La Fontaine
Illustré par Anouck Ricard

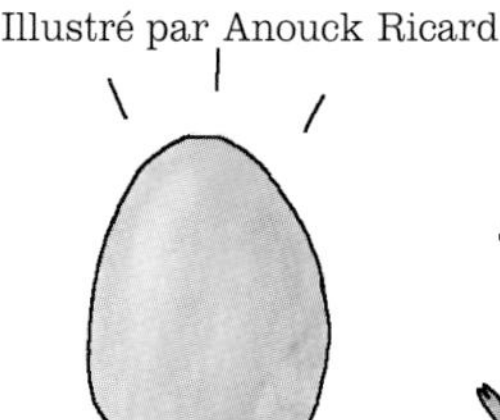

Deux rats cherchaient leur vie ; ils trouvèrent un œuf.
Le dîner suffisait à gens de cette espèce :
Il n'était pas besoin qu'ils trouvassent un bœuf.
    Pleins d'appétit et d'allégresse,
Ils allaient de leur œuf manger chacun sa part,
Quand un quidam parut : c'était maître renard ;
    Rencontre incommode et fâcheuse :
Car comment sauver l'œuf ? Le bien empaqueter,
Puis des pieds de devant ensemble le porter,
    Ou le rouler, ou le traîner,
C'était chose impossible autant que hasardeuse.
    Nécessité l'ingénieuse
    Leur fournit une invention.
Comme ils pouvaient gagner leur habitation,
L'écornifleur étant à demi-quart de lieue,
L'un se mit sur le dos, prit l'œuf entre ses bras ;
Puis, malgré quelques heurts et quelques mauvais pas,
    L'autre le traîna par la queue.
Qu'on m'aille soutenir après un tel récit,
    Que les bêtes n'ont point d'esprit !

Voilà, contemple

Nazim Hikmet
Illustré par Vanessa Vérillon

Voilà, contemple par mes yeux :
L'ours devant sa tanière
encore alourdi de sommeil
As-tu jamais songé vivre pareil aux ours
Distrait et humant la terre ?
Tout près du miel, des poires et de la pénombre moussue
Loin de la voix humaine et du feu ?

Voilà, contemple par mes yeux :
Les écureuils, les lièvres,
Voici le lézard, voici la tortue,
Voici notre âne aux yeux de raisins.
Voilà, contemple par mes yeux :
Voici un arbre étincelant
Le plus proche parent, par sa beauté, de l'homme.
Voici la prairie : enfoncez-vous, mes pieds nus dans l'herbage !
Mes narines, dilatez-vous ! Voici la lavande et le thym !

Un ami

Alphonse de Lamartine
Illustré par Hélène Riff

… Je me souviens
D'avoir eu pour ami, dans mon enfance, un chien,
Une levrette blanche, au museau de gazelle,
Au poil ondé de soie, au cou de tourterelle,
À l'œil profond et doux comme un regard humain ;
Elle n'avait jamais mangé que dans ma main,
Répondu qu'à ma voix, couru que sur ma trace,
Dormi que sur mes pieds, ni flairé que ma place.
Quand je sortais tout seul et qu'elle demeurait,
Tout le temps que j'étais dehors, elle pleurait ;
Pour me voir de plus loin, aller ou reparaître,
Elle sautait d'un bond au bord de ma fenêtre,
Et, les deux pieds collés contre les froids carreaux,
Regardait tout le jour à travers les vitraux ;
Ou, parcourant ma chambre, elle y cherchait encore
La trace, l'ombre au moins du maître qu'elle adore,
Le dernier vêtement dont je m'étais couvert,
Ma plume, mon manteau, mon livre encore ouvert,
Et, l'oreille dressée au vent pour mieux m'entendre,
Se couchant à côté, passait l'heure à m'attendre.

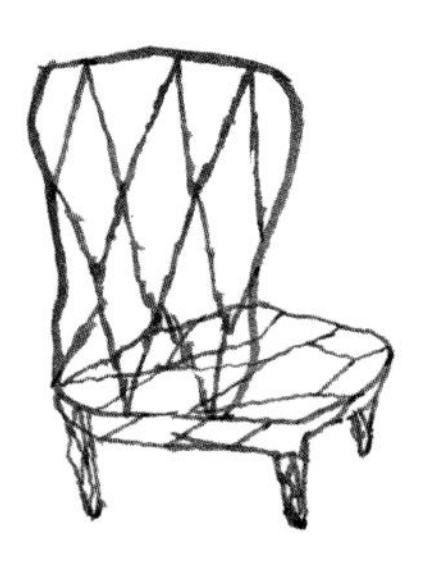

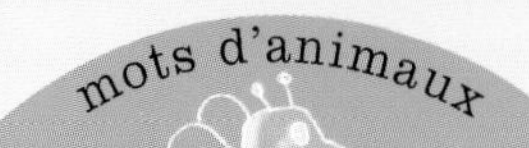

Impression fausse

Paul Verlaine
Illustré par Marie Delafon

Dame souris trotte,
Noire dans le gris du soir,
Dame souris trotte,
Grise dans le noir.

On sonne la cloche :
Dormez, les bons prisonniers,
On sonne la cloche :
Faut que vous dormiez.

Pas de mauvais rêve :
Ne pensez qu'à vos amours,
Pas de mauvais rêve :
Les belles toujours !

Le grand clair de lune !
On ronfle ferme à côté.
Le grand clair de lune
En réalité !

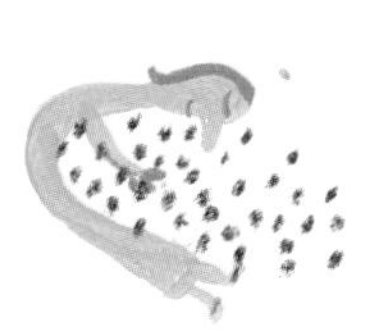

Un nuage passe,
Il fait noir comme en un four,
Un nuage passe,
Tiens, le petit jour !

Dame souris trotte,
Rose dans les rayons bleus,
Dame souris trotte :
Debout, paresseux !

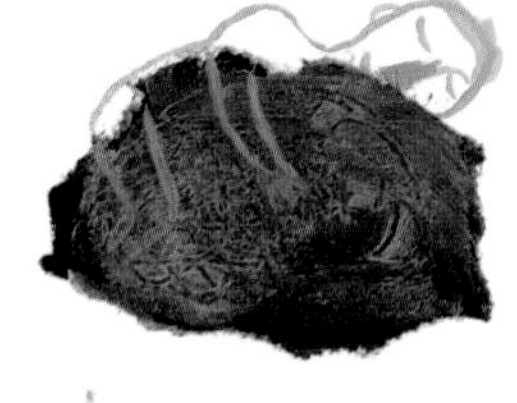

Comptines et petits poèmes

Illustrés par Kitty Crowther

Marions-nous

Marions-nous charmante rose
Marions-nous car il est temps
Belle rose charmante rose
Marions-nous car il est temps
Belle rose du printemps.

André Bay

Qu'a donc le papillon ?

Qu'a donc le papillon ? Qu'a donc la sauterelle ?
La sauterelle a l'herbe et le papillon l'air ;
Et tous deux ont avril qui rit dans le ciel clair.

Victor Hugo

Pomme dorée

Pomme dorée,
Va te cacher
Derrière un pommier.
Tu reviendras
Par le train de trois heures
Une, deux, trois.

André Bay

Délice

Délice
De traverser la rivière d'été
Sandales en main.

Buson

Trèfle incarnat

Même à trois feuilles,
Le trèfle incarnat
Porte à qui le cueille
Sa petite joie.

Frédéric Kiesel

Petits poèmes

Illustrés par Delphine Durand

Le jasmin

Pour hier, aujourd'hui, demain,
Faites des bouquets de jasmin,
Cueillez, cueillez à pleines mains,
Jasmin d'Espagne ou de Madère,
Jasmin de Perse ou Cavalaire,
Cueillez des bouquets de jasmin.

Robert Desnos

Myosotis

J'aime les étangs, et j'habite
Partout où l'eau se creuse un lit.
Ma fleur, d'un bleu pâle, s'agite
Au moindre vent, au moindre bruit.
Ma coupe d'or est si petite
Qu'une larme d'oiseau l'emplit.

Alphonse de Lamartine

Le bouton d'or

Un beau bateau, chargé jusqu'au sabord
De cent millions de boutons d'or,
Vient de Chine ou San Salvador.
Le roi Nabuchodonosor
Il brait, il mange, il boit, il dort,
Il n'aura pas de boutons d'or.

Robert Desnos

Les roses

J'ai voulu ce matin te rapporter des roses
Mais j'en avais tant pris dans mes ceintures closes
Que les nœuds trop serrés n'ont pu les contenir.
Les nœuds ont éclaté. Les roses envolées
Dans le vent, à la mer, s'en sont toutes allées ;
Elles ont suivi l'eau pour ne plus revenir.
La vague en a paru rouge et comme enflammée ;
Ma robe en est, ce soir, encor tout embaumée ;
Respires-en sur moi l'odorant souvenir.

Marceline Desbordes-Valmore

Petits poèmes

Illustrés par Fabienne Burckel

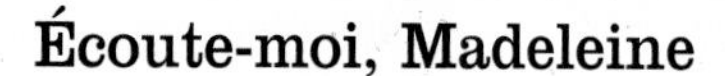

Écoute-moi, Madeleine

Viens ! on dirait, Madeleine,
Que le printemps, dont l'haleine
Donne aux roses leurs couleurs,
A, cette nuit, pour te plaire,
Secoué sur la bruyère
Sa robe pleine de fleurs.

Victor Hugo

Vois les fleurs

Vois les fleurs où la guêpe heureuse joue et boit,
Respire ces parfums que le vent chaud déplisse,
Touche ces groseilles aux baies rondes et lisses
Où s'enfonce au sommet un petit clou de bois.

Anna de Noailles

Juillet

L'ombre sommeille au pied des choses,
Noire et courte ; il sonne midi.
Tout le jardin est étourdi
Par le soleil bleu dans les roses.

Fernand Gregh

Bonjour

Paul Géraldy
Illustré par Charlotte Labaronne

Comme un diable au fond de sa boîte,
Le bourgeon s'est tenu caché...
Mais dans sa prison trop étroite
Il bâille et voudrait respirer.

Il entend des chants, des bruits d'ailes,
Il a soif de grand jour et d'air...
Il voudrait savoir les nouvelles,
Il fait craquer son corset vert.

Puis d'un geste brusque il déchire
Son habit étroit et trop court ;
« Enfin, se dit-il, je respire...
Je vis, je suis libre... Bonjour. »

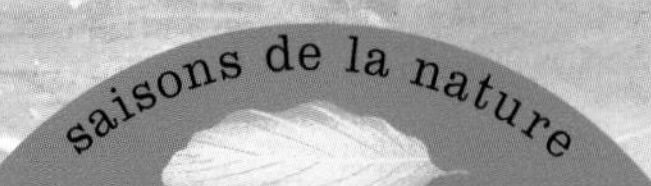

Mignonne, levez-vous

Pierre de Ronsard
Illustré par Hélène Riff

Mignonne, levez-vous, vous êtes paresseuse,
Jà la gaye alouette au ciel a fredonné,
Et jà le rossignol doucement jargonné,
Dessus l'épine assis, sa complainte amoureuse.

Sus ! Debout ! Allons voir l'herbelette perleuse,
Et votre beau rosier de boutons couronné,
Et vos œillets aimés auxquels vous avez donné
Hier soir de l'eau d'une main si soigneuse.

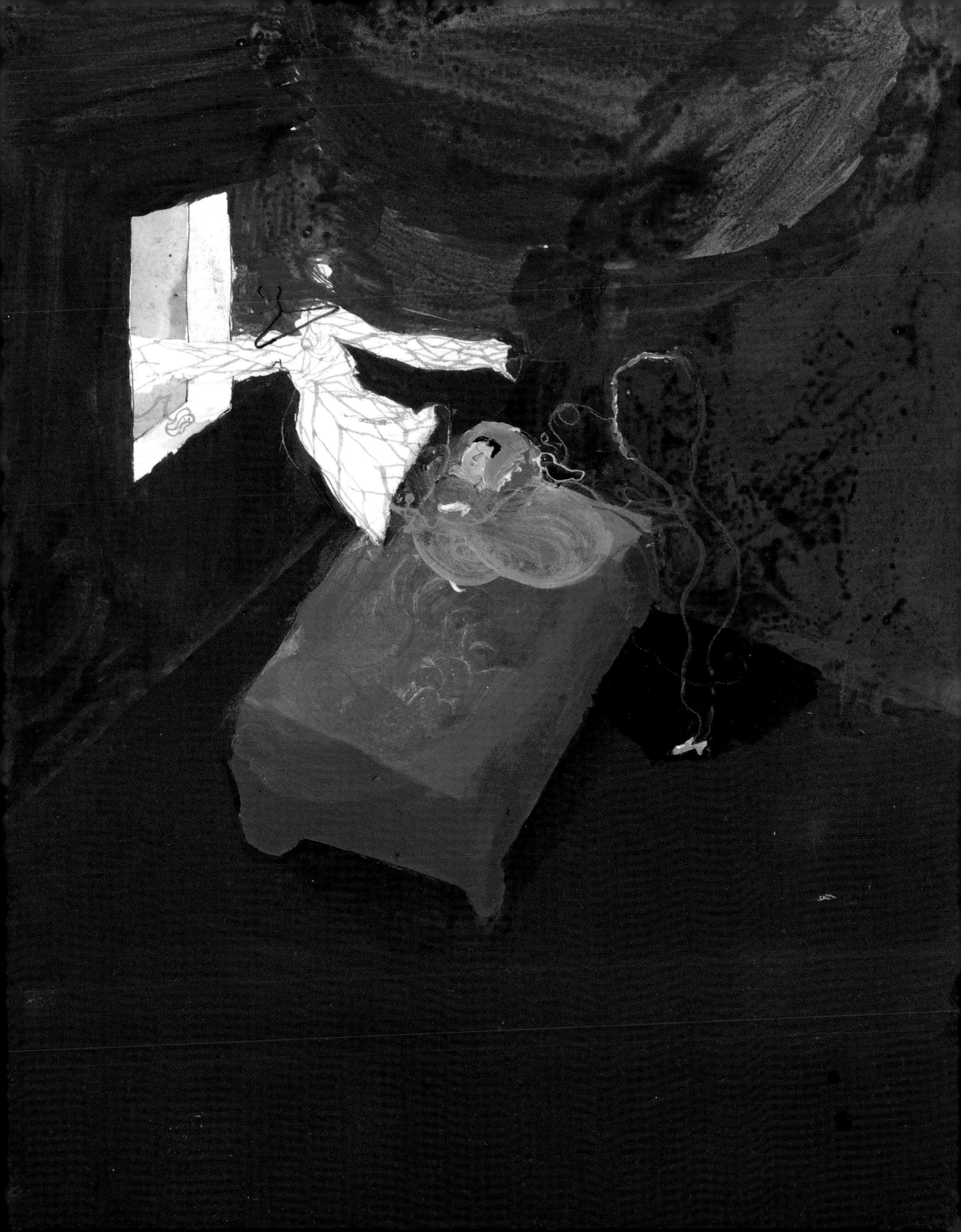

Douceur matinale

Paul Verlaine
Illustré par Hélène Riff

Le ciel est, par-dessus le toit,
Si bleu, si calme !
Un arbre, par-dessus le toit
Berce sa palme.

La cloche dans le ciel qu'on voit
Doucement tinte.
Un oiseau, sur l'arbre qu'on voit
Chante sa plainte.

Les nids

Émilia Cuchet-Albaret
Illustré par Olivier Latyk

Il est des nids blottis loin de la route blanche,
Des nids que nul ne voit sur un rameau qui penche
À l'abri d'une feuille, à l'ombre d'un lilas…
Il est des nids blottis loin de la route blanche
Et les nids les plus chauds sont ceux qu'on ne voit pas.

Le ciel est gai, c'est joli Mai

Paul Fort
Illustré par Séverine Cordier

La mer brille au-dessus de la haie, la mer brille comme une coquille. On a envie de la pêcher. Le ciel est gai, c'est joli Mai.

C'est doux la mer au-dessus de la haie, c'est doux comme une main d'enfant. On a envie de la caresser. Le ciel est gai, c'est joli Mai.

Et c'est aux mains vives de la brise que vivent et brillent des aiguilles qui cousent la mer avec la haie. Le ciel est gai, c'est joli Mai.

La mer présente sur la haie ses frivoles papillonnées. Petits navires vont naviguer. Le ciel est gai, c'est joli Mai.

Douce nuit

André Theuriet
Illustré par Fabrice Turrier

Les nuits tièdes sont revenues
Dans le bois qui bourgeonne encor,
À travers les feuilles menues,
Là-haut tremble la lune d'or.

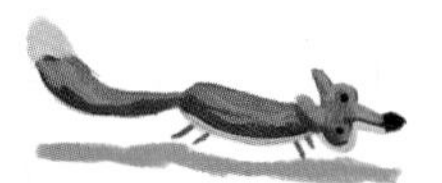

La chanson du rayon de lune

Guy de Maupassant
Illustré par Olivier Latyk

Sais-tu qui je suis ? — Le rayon de lune.
Sais-tu d'où je viens ? — Regarde là-haut.
Ma mère est brillante, et la nuit est brune ;
Je rampe sur l'arbre et glisse sous l'eau ;
Je m'étends sur l'herbe et cours sur la dune ;
Je grimpe au mur noir, au tronc du bouleau,
Comme un maraudeur qui cherche fortune.
Je n'ai jamais froid, je n'ai jamais chaud.

Chaleur

Anna de Noailles
Illustré par Gaëtan Dorémus

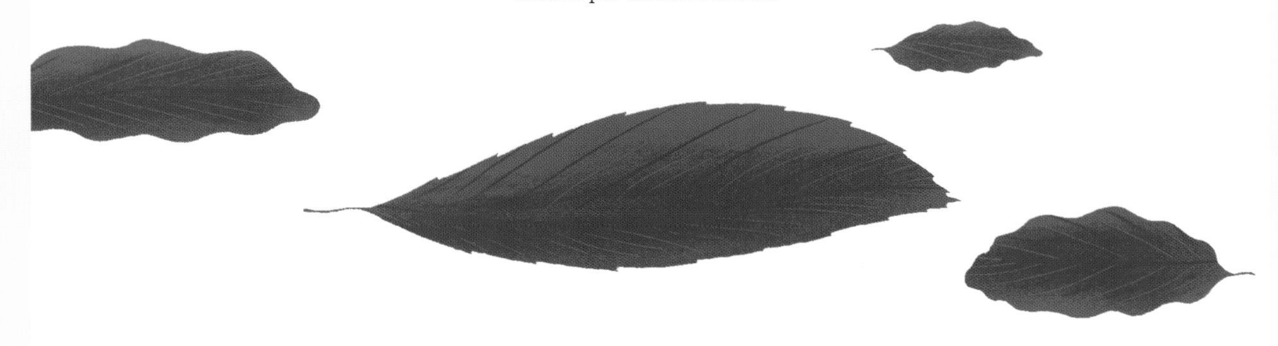

Tout luit, tout bleuit, tout bruit.
Le jour est brûlant comme un fruit
Que le soleil fendille et cuit.

Chaque petite feuille est chaude
Et miroite dans l'air où rôde
Comme un parfum de reine-claude.

Du soleil comme de l'eau pleut
Sur tout le pays jaune et bleu
Qui grésille et oscille un peu.

Le peuple des prés

René Char
Illustré par Kitty Crowther

Le peuple des prés m'enchante. Sa beauté frêle et dépourvue de venin, je ne me lasse pas de me la réciter. Le campagnol, la taupe, sombres enfants perdus dans la chimère de l'herbe, l'orvet, fils du verre, le grillon, moutonnier comme pas un, la sauterelle qui claque et compte son linge, le papillon qui simule l'ivresse et agace les fleurs de ses hoquets silencieux, les fourmis assagies par la grande étendue verte, et immédiatement au-dessus les météores hirondelles…

Prairie, vous êtes le boîtier du jour.

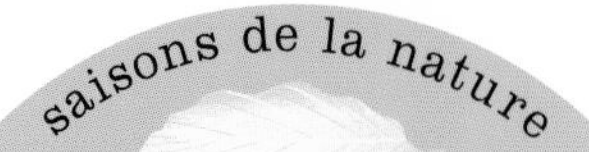

L'arbre volant

Edmond Jabès
Illustré par Sacha Poliakova

Que les bois aient des arbres,
Quoi de plus naturel ?
Que les arbres aient des feuilles,
Quoi de plus évident ?
Mais que les feuilles aient des ailes,
Voilà qui, pour le moins, est surprenant.
Volez, volez, beaux arbres verts.
Le ciel vous est ouvert.
Mais prenez garde à l'automne, fatale
Saison, quand vos milliers et milliers
d'ailes,
redevenues feuilles,
tomberont.

La pomme et l'escargot

Charles Vildrac
Illustré par Mireille Vautier

Il y avait une pomme
À la cime d'un pommier ;
Un grand coup de vent d'automne
La fit tomber sur le pré.

– Pomme, pomme, t'es-tu fait mal ?
J'ai le menton en marmelade,
Le nez fendu et l'œil poché !

Elle roula, quel dommage !
Sur un petit escargot
Qui s'en allait au village
Sa demeure sur le dos.

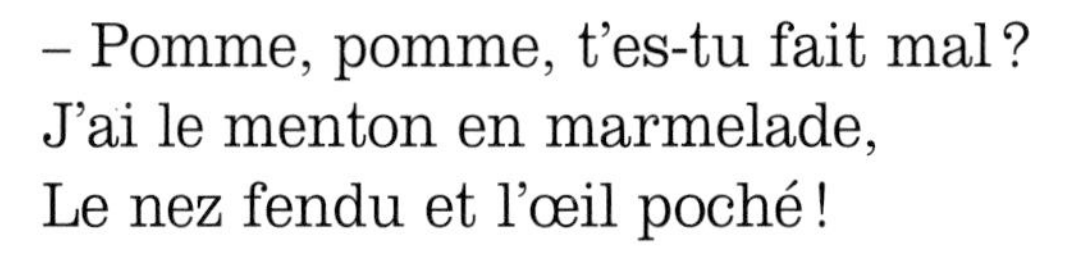

– Pomme, pomme, t'es-tu fait mal ?
J'ai le menton en marmelade,
Le nez fendu et l'œil poché !

Ah ! stupide créature,
Gémit l'animal cornu,
T'as défoncé ma toiture
Et me voici faible et nu.

– Pomme, pomme, t'es-tu fait mal ?
J'ai le menton en marmelade,
Le nez fendu et l'œil poché !

Dans la pomme à demi blette
L'escargot, comme un gros ver,
Rongea, creusa sa chambrette,
Afin d'y passer l'hiver.

– Pomme, pomme, t'es-tu fait mal ?
J'ai le menton en marmelade,
Le nez fendu et l'œil poché !

Ah ! mange-moi, dit la pomme,
Puisque c'est là mon destin ;
Par testament je te nomme
Héritier de mes pépins.

– Pomme, pomme, t'es-tu fait mal ?
J'ai le menton en marmelade,
Le nez fendu et l'œil poché !

Tu les mettras dans la terre
Vers le mois de février,
Il en sortira, j'espère,
De jolis petits pommiers.

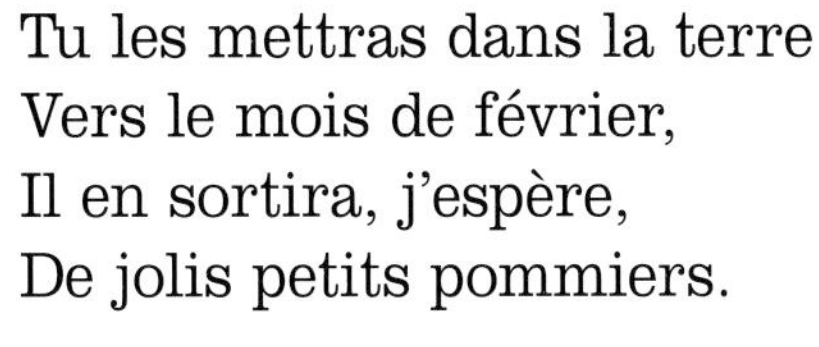

Automne

Pierre Coran
Illustré par Olivier Latyk

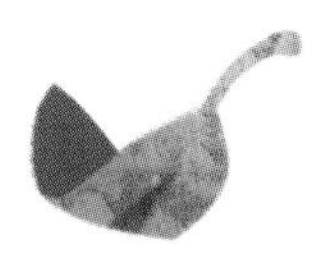

Quand les bois ont les cheveux courts,
La lune ceint son abat-jour
De brume pâle

Et le vent vole et le vent court
En tournoyant comme un vautour
Sous les étoiles.

Pourquoi, mon cœur, es-tu si lourd
Quand les bois ont les cheveux courts ?

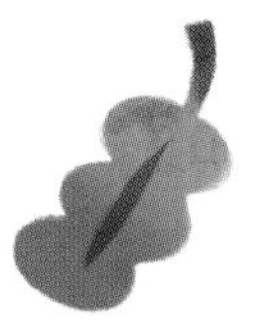

Rivé aux cailloux de la cour,
Le lierre étreint dans ses doigts gourds
Une hirondelle.

Entends-tu, dans le petit jour,
Le gel affûter ses tambours
Et ses chandelles ?

Quand les bois ont les cheveux courts,
Pourquoi, mon cœur, es-tu si lourd ?

Il pleut

Raymond Queneau
Illustré par Séverine Cordier

Averse averse averse averse averse averse
pluie ô pluie ô pluie ô! ô pluie ô pluie ô pluie!
gouttes d'eau gouttes d'eau gouttes d'eau gouttes d'eau
parapluie ô parapluie ô paraverse ô!
paragouttes d'eau paragouttes d'eau de pluie
capuchons pèlerines et imperméables
que la pluie est humide et que l'eau mouille et mouille!
mouille l'eau mouille l'eau mouille l'eau mouille l'eau
et que c'est agréable agréable agréable
d'avoir les pieds mouillés et les cheveux humides
tout humides d'averse et de pluie et de gouttes
d'eau de pluie et d'averse et sans un paragoutte
pour protéger les pieds et les cheveux mouillés
qui ne vont plus friser qui ne vont plus friser
à cause de l'averse à cause de la pluie
à cause de l'averse et des gouttes de pluie
des gouttes d'eau de pluie et des gouttes d'averse
cheveux désarçonnés cheveux sans parapluie

Vent

Maurice Carême
Illustré par Gaëtan Dorémus

Vent qui rit
Vent qui pleure
Dans la pluie,
Dans les cœurs ;

Vent qui court,
Vent qui luit
Dans les cours,
Dans la nuit ;

Vent qui geint,
Vent qui hèle
Dans les foins,
Dans les prêles ;

Dis-moi, vent
Frivolant,
À quoi sert
Que tu erres

En sifflant
Ce vieil air
Depuis tant,
Tant d'hivers ?

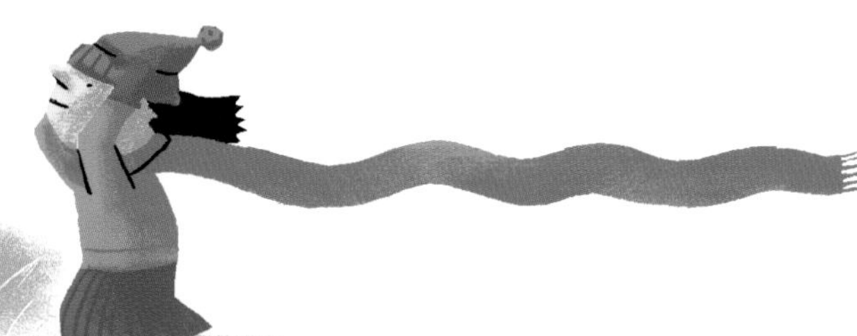

La neige sur la plaine la nuit

Guy de Maupassant
Illustré par Charlotte Labaronne

La grande plaine est blanche, immobile et sans voix...
Pas un bruit, pas un son, toute vie est éteinte.
Mais on entend parfois, comme une morne plainte,
Quelque chien, sans abri, qui hurle au coin d'un bois.

Oh ! la terrible nuit pour les petits oiseaux !
Un vent glacé frissonne et court par les allées ;
Eux, n'ayant plus l'asile ombragé des berceaux,
Ne peuvent plus dormir sur leurs pattes gelées.

Dans les grands arbres nus que couvre le verglas
Ils sont là, tout tremblants, sans rien qui les protège,
De leur œil inquiet ils regardent la neige,
Attendant jusqu'au jour la nuit qui ne vient pas.

Nuits d'hiver

Pierre Menanteau
Illustré par Mireille Vautier

Comme il fait bon dormir,
Quand le vent sous la porte
Éveille d'anciens loups
Et de leur âme morte
Fait un long souvenir
Qui se glisse vers nous !

Dans la chambre où la peur
Touche à peine le cœur
D'un heureux tremblement,
Tout près de ses parents,
Ah ! qu'il fait bon dormir !

Comptines et petits poèmes

Illustrés par Marie Delafon

Rondin picotin

Rondin picotin
La Marie a fait son pain
Pas plus gros que son levain
Son levain était moisi
Et son pain tout aplati
Tant pis !

André Bay

Une plaque de chocolat

Une plaque de chocolat
S'en allait en guerre
Elle dit à ses enfants
Gardez bien la maison
S'il vient un pauvre
Donnez-lui l'aumône
S'il vient un riche
Donnez-lui une gifle.

André Bay

Chiberli Chiberla

Chiberli Chiberla
On dit qu'il est malade
Chiberli Chiberla
On dit qu'il en mourra

André Bay

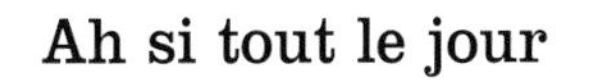

Ah si tout le jour

Ah si tout le jour
je me sentais aussi bien
qu'au sortir du bain.

Ryökan

L'éponge

Une éponge
Songe
Songe
Songe
Aux songes
D'une éponge
Qui songe

Andrée Chédid

Ce mur quelle fraîcheur

Ce mur quelle fraîcheur
contre les plantes de mes pieds
pendant la sieste.

Basho

Accorde-moi

Accorde-moi
pour le premier jour de l'an
une grasse matinée.

Sôseki

Pomme, poire

Luc Bérimont
Illustré par Katja Gehrmann

Pomme et poire
Dans l'armoire

Fraise et noix
Dans le bois

Sucre et pain
Dans ma main

Plume et colle
Dans l'école

Et le faiseur de bêtises
Bien au chaud dans ma chemise.

ÉCOLE

Dimanche

René de Obaldia
Illustré par Fabrice Turrier

Charlotte
Fait de la compote.

Bertrand
Suce des harengs.

Cunégonde
Se teint en blonde.

Épaminondas
Cire ses godasses.

Thérèse
Souffle sur la braise.

Léon
Peint des potirons.

Brigitte
S'agite, s'agite.

Adhémar
Dit qu'il en a marre.

Les petits souliers

Maurice Carême
Illustré par Sacha Poliakova

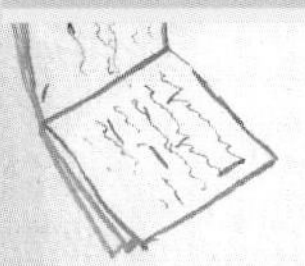

Par le chemin des écoliers
S'en allaient deux petits souliers,

Deux petits souliers seuls au monde
S'en allaient par la terre ronde,

S'en allaient, les semelles molles,
À regret, loin de leur école,

S'en allaient chez le cordonnier
Où l'on voit grandir les souliers,

Où l'on voit souliers d'écoliers
Devenir souliers d'ouvriers,

Et parfois, avec de la chance,
Devenir souliers de finance,

Et souvent, avec de l'étude,
Devenir souliers de grand luxe,

Et toujours, avec de l'amour,
Devenir souliers de velours.

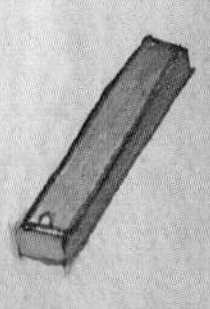

L'anneau de Mœbius

Robert Desnos

Illustré par Hélène Riff

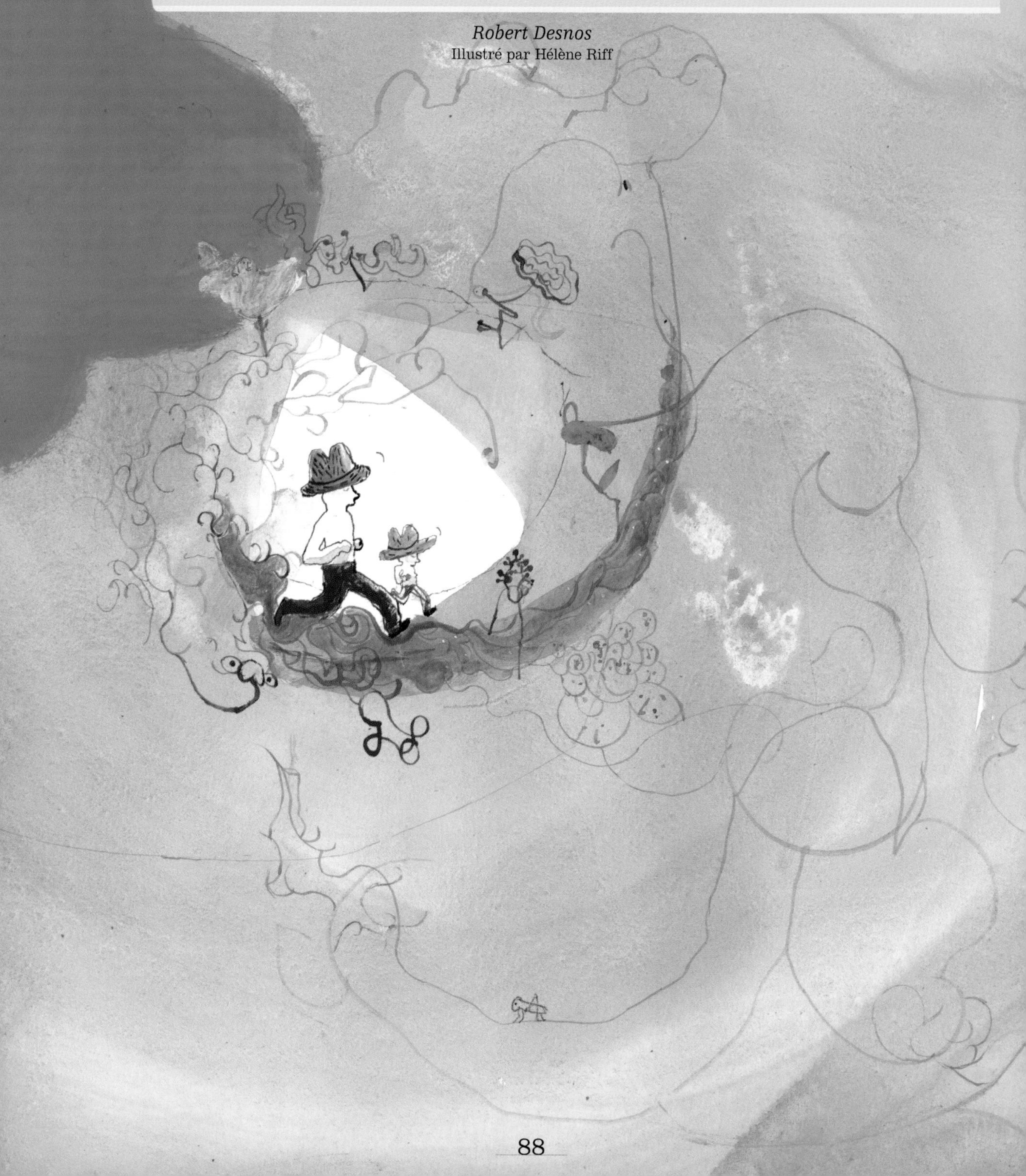

Le chemin sur lequel je cours
Ne sera pas le même quand je ferai demi-tour
J'ai beau le suivre tout droit
Il me ramène à un autre endroit
Je tourne en rond mais le ciel change
Hier j'étais un enfant
Je suis un homme maintenant
Le monde est une drôle de chose
Et la rose parmi les roses
Ne ressemble pas à une autre rose.

Chanson de grand-père

Victor Hugo
Illustré par Katja Gehrmann

Dansez, les petites filles,
Toutes en rond.
En vous voyant si gentilles,
Les bois riront.

Dansez, les petites reines,
Toutes en rond.
Les amoureux sous les frênes
S'embrasseront.

Dansez, les petites folles,
Toutes en rond.
Les bouquins dans les écoles
Bougonneront.

Dansez, les petites belles,
Toutes en rond.
Les oiseaux avec leurs ailes
Applaudiront.

Dansez, les petites fées,
Toutes en rond.
Dansez, de bleuets coiffées
L'aurore au front.

Dansez, les petites femmes,
Toutes en rond.
Les messieurs diront aux dames
Ce qu'ils voudront.

Conversation

Jean Tardieu
Illustré par Gaëtan Dorémus

(Sur le pas de la porte avec bonhomie)

Comment ça va sur la terre ?
– Ça va ça va, ça va bien.

Les petits chiens sont-ils prospères ?
– Mon Dieu oui merci bien.

Et les nuages ?
– Ça flotte.

Et les volcans ?
– Ça mijote.

Et les fleuves ?
– Ça s'écoule.

Et le temps ?
– Ça se déroule.

Et votre âme ?
– Elle est malade
le printemps était trop vert
elle a mangé trop de salade.

Le tapissier et le pâtissier

ou Leçon de diction et d'articulation

Bernard Lorraine
Illustré par Kitty Crowther

Un pâtissier faisait de la pâtisserie,
Son voisin tapissier de la tapisserie.
Lorsque le pâtissier fait sa pâtisserie
Sa pâtissière fait de la tapisserie,
Quand le tapissier vaque à sa tapisserie
Sa tapissière cuit de la pâtisserie.

Aussi retrouve-t-on des clous de tapissier
Dans la pâtisserie du voisin pâtissier,
Aussi retrouve-t-on les choux du pâtissier
Sur la tapisserie du voisin tapissier.
Et comme leurs moitiés sabotent leurs métiers,
Leur industrie et leur commerce en pâtissaient.

Moralité

Pâtissiers, pâtissez ! Tapissez, tapissiers !
À chacun son métier ! À chacun sa moitié.

Le bonheur

Paul Fort
Illustré par Marie Delafon

Le bonheur est dans le pré. Cours-y vite, cours-y vite. Le bonheur est dans le pré. Cours-y vite. Il va filer.
Si tu veux le rattraper, cours-y vite, cours-y vite. Si tu veux le rattraper, cours-y vite. Il va filer.

Dans l'ache et le serpolet, cours-y vite, cours-y vite, dans l'ache et le serpolet, cours-y vite. Il va filer.

Sur les cornes du bélier, cours-y vite, cours-y vite, sur les cornes du bélier, cours-y vite. Il va filer.

Sur le flot du sourcelet, cours-y vite, cours-y vite, sur le flot du sourcelet, cours-y vite. Il va filer.

De pommier en cerisier, cours-y vite, cours-y vite, de pommier en cerisier, cours-y vite. Il va filer.

Saute par-dessus la haie, cours-y vite, cours-y vite. Saute par-dessus la haie, cours-y vite ! il a filé !

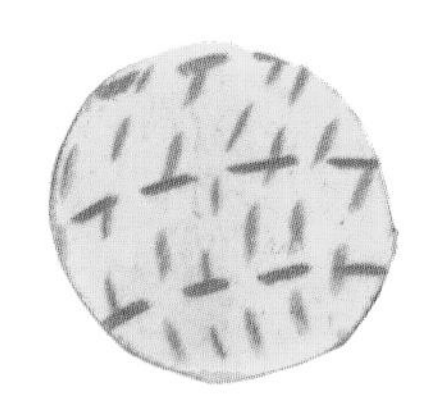

VITE!
VITE
VITE!

Le lapin de septembre

Michel Luneau
Illustré par Hélène Riff

En septembre,
Tous les ans,
Un petit lapin frappe à la porte de ma chambre.
– C'est l'ouverture de la chasse !
– Et tu crains que l'on te fricasse !
– Puis-je entrer dans ton potager ?
– Oui, mais sans rien déranger !

Mais à chaque fin de saison,
C'est toujours la même chanson
Il a mangé mes salades,
Mes carottes, mon oseille…
J'en suis malade.
Je lui tire les oreilles.
Il me regarde transi
De peur
Et me dit :
– Aurais-tu le cœur
D'acheter un fusil ?

La Samaritaine

Bernard Lorraine
Illustré par Rémi Courgeon

Décapsuleur, taille-crayons, cloche à fromage,
Peau de chamois, passe-lacets, plat à gratin,
Antivols, boîte à sel, clés, réveille-matin,
Vinaigrier, tire-bouchon, boîte à cirage,

Armoire, accastillage, outils de jardinage,
Four micro-ondes, draps, extracteur de pépins,
Escarpolette, housse à fauteuil, planche à dessin,
Fourchette à escargots, trousse de maquillage,

Batteur à œufs, sèche-cheveux, brosse à reluire,
Table de jeu, rideaux, aquarium, poêle à frire,
Pinceaux, moulin à poivre, attirail pour pêcheur,

Vilebrequin, cuiller, burette à huile, antenne,
Cosmétique, abat-jour, lutrin, téléviseur,
On trouve vraiment tout à la Samaritaine.

La leçon de choses

Raymond Queneau
Illustré par Anouck Ricard

Venez, poussins
asseyez-vous
je vais vous instruire
sur l'œuf
dont tous
vous venez, poussins

L'œuf est rond
mais pas tout à fait
Il serait plutôt
ovoïde
avec une carapace
Et vous en venez tous, poussins

Il est blanc
pour votre race
crème ou même orangé
avec parfois collé
un brin de paille
mais ça
c'est un supplément

À l'intérieur il y a

Mais pour y voir
faut le casser
et alors d'où – vous, poussins – sortiriez ?

Naissance

Charles-Ferdinand Ramuz
Illustré par Fabrice Turrier

La sage-femme a dit : « Ça y est ! »
Elle est grosse et rouge, elle rit
et puis elle a encore dit :
« Tout le monde sait ce que c'est. »
Et la mère aussi a souri.

Elle était blanche comme un drap.
C'est une fille,
une de plus dans la famille,
c'est une fille et puis voilà.

La chambre sentait fort l'été,
les contrevents étaient tirés,
on entendait les chars rentrer,
dehors les lézards dormaient sur les pierres ;
et sur la route,
les poules rousses
gloussaient comme un tout vieux qui tousse,
en se roulant dans la poussière.

Monsieur

Géo Norge
Illustré par Séverin Millet

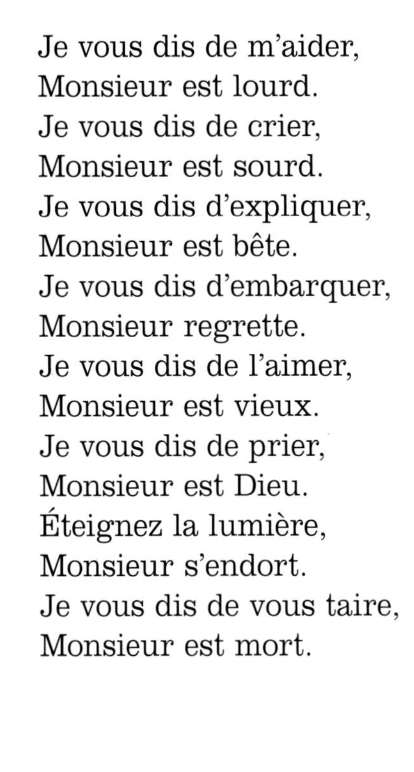

Je vous dis de m'aider,
Monsieur est lourd.
Je vous dis de crier,
Monsieur est sourd.
Je vous dis d'expliquer,
Monsieur est bête.
Je vous dis d'embarquer,
Monsieur regrette.
Je vous dis de l'aimer,
Monsieur est vieux.
Je vous dis de prier,
Monsieur est Dieu.
Éteignez la lumière,
Monsieur s'endort.
Je vous dis de vous taire,
Monsieur est mort.

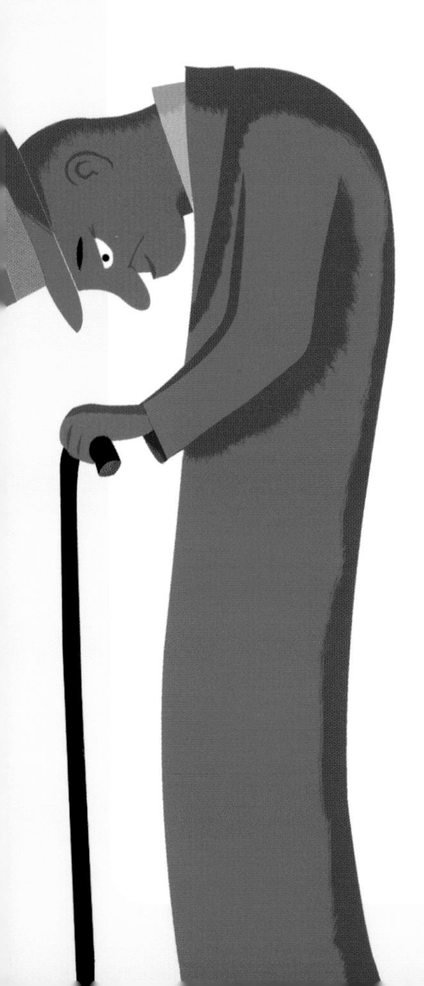

Notre maison

Joël Sadeler
Illustré par Olivier Latyk

Je te ferai une montagne
Avec des nuages mousseline
Je poserai une maison en bois
Dessus
Tout autour des sapins
En habits du dimanche
Le paysage sera repassé
De frais
Et les prés tirés à quatre épingles
En bas il y aura un village
Reposé de son histoire
La nuit marchera sur le toit
Et je m'endormirai près de toi
Au chaud de notre amour.

Fenêtres ouvertes

Victor Hugo
Illustré par Fabrice Turrier

J'entends des voix. Lueurs à travers ma paupière.
Une cloche est en branle à l'église Saint-Pierre.
Cris des baigneurs : « Plus près ! Plus loin ! Non, par ici !
Non, par là ! » Les oiseaux gazouillent. Jeanne aussi.
Georges l'appelle. Chant des coqs. Une truelle
Racle un toit. Des chevaux passent dans la ruelle.
Grincement d'une faux qui coupe le gazon.
Chocs, rumeurs. Des couvreurs marchent sur la maison.
Bruits du port. Sifflement des machines chauffées.
Musique militaire arrivant par bouffées.
Brouhaha sur le quai. Voix françaises : « Merci !
Bonjour ! Adieu ! » Sans doute il est tard, car voici
Que vient tout près de moi chanter mon rouge-gorge.
Vacarme de marteaux lointains dans une forge.
L'eau clapote. On entend haleter un steamer.
Une mouche entre. Souffle immense de la mer.

Le buffet

Arthur Rimbaud
Illustré par Sacha Poliakova

C'est un large buffet sculpté ; le chêne sombre,
Très vieux, a pris cet air si bon des vieilles gens ;
Le buffet est ouvert, et verse dans son ombre
Comme un flot de vin vieux, des parfums engageants ;

Tout plein, c'est un fouillis de vieilles vieilleries,
De linges odorants et jaunes, de chiffons
De femmes ou d'enfants, de dentelles flétries,
De fichus de grand'mère où sont peints des griffons ;

– C'est là qu'on trouverait les médaillons, les mèches
De cheveux blancs ou blonds, les portraits, les fleurs sèches
Dont le parfum se mêle à des parfums de fruits.

– Ô buffet du vieux temps, tu sais bien des histoires,
Et tu voudrais conter tes contes, et tu bruis
Quand s'ouvrent lentement tes grandes portes noires.

Mater opera dolorosa

Guy Goffette
Illustré par Vanessa Vérillon

À ma mère

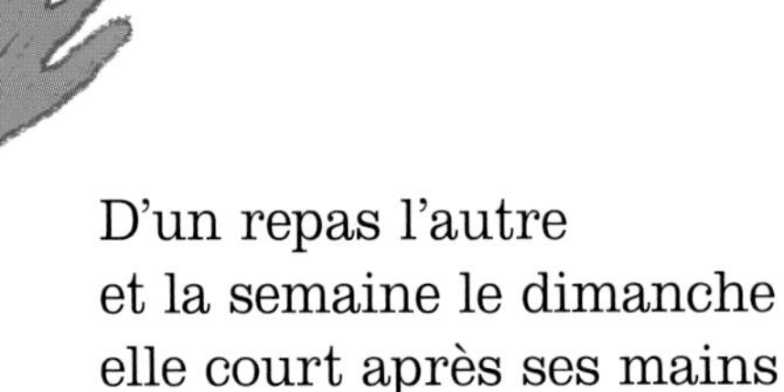

D'un repas l'autre
et la semaine le dimanche
elle court après ses mains

Je les aurai la nuit dit-elle
je les rattraperai
mais la nuit les emporte
loin d'elle

Je les aurai un jour dit-elle
je les rattraperai
un jour qu'il fera noir
pour moi
un jour qu'il fera
outre-jour
et l'amour seul dira
si je les ai trouvées

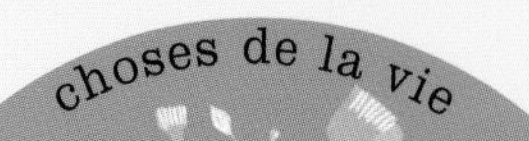

Moment parfait

Jean Mongin
Illustré par Séverin Millet

Chaque jour je voudrais vivre un moment parfait,
Et que ce moment-là dure un jour tout entier ;
Que, tout le jour, tout soit entier, durable et plein,
Que chaque instant du jour dure le jour entier,
Qu'il se prolonge en les instants suivants et vive
Avec eux, tout ensemble, un temps tout au présent,
Où rien des jours passés ne soit abandonné,
Où rien de l'aujourd'hui ne soit aussi demain ;

Chaque jour, je voudrais tout reprendre et refondre
En lourd boulet de glaise au creux de mes deux paumes.

Au crépuscule

Philippe Soupault
Illustré par Delphine Durand

Bonsoir doux amour
Comme disait Shakespeare

Bonsoir mon petit pote
Comme disait Jules

Bonsoir mon père
Comme disait l'enfant de chœur

Bonsoir mon fils
Comme disait le curé

Bonsoir vieille noix
Comme disait le jardinier

Bonsoir les enfants
Comme disent les enfants

Ariane bonsoir ma sœur
Comme aurait dit Racine

Bonsoir mon trésor
Comme disent les banques

Bonsoir ma cocotte
Comme dit la fermière

Bonsoir mon loup
Comme dit la bergère

Bonsoir bonsoir bonsoir

5

Comptines et petits poèmes

Illustrés par Vanessa Vérillon

La nuit l'effraie

La nuit l'effraie.
Il ne sait plus
Par quel hibou la prendre.

Michel-François Lavaure

Les cerises

Les cerises
en ont assez
de regarder par terre

alors
elles ont regardé
en l'air
et
elles sont devenues
des ballons rouges.

Andrée Clair

Enne tenne tor

Enne tenne tor
Tape nelle nor
Isabelle pimprenelle
Pi pi pi pi poum.

André Bay

Mirlababi, surlababo

Mirlababi, surlababo
Mirliton ribon ribette
Surlababi mirlababo
Mirliton ribon ribo

Victor Hugo

L'enfant qui est dans la lune

Cet enfant, toujours dans la lune,
s'y trouve bien, s'y trouve heureux.

Pourquoi le déranger ? La lune
est un endroit d'où l'on voit mieux.

Claude Roy

Recette

Guillevic
Illustré par Fabrice Turrier

À Georges Somlyo

Prenez un toit de vieilles tuiles
Un peu après midi.

Placez tout à côté
Un tilleul déjà grand
Remué par le vent,

Mettez au-dessus d'eux
Un ciel de bleu, lavé
Par des nuages blancs.

Laissez-les faire.
Regardez-les.

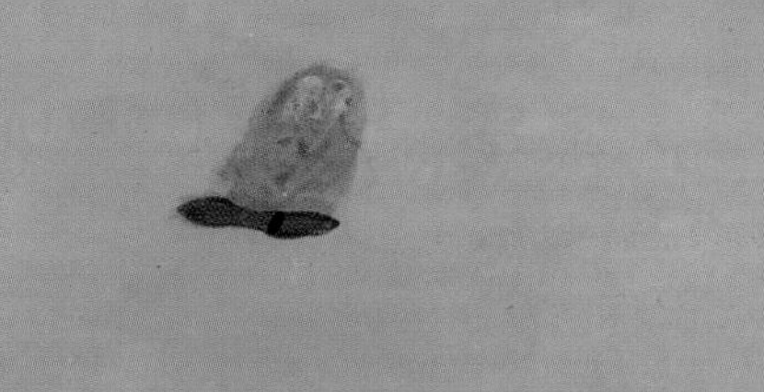

Le mot caché

Kayo
Illustré par Charlotte Labaronne

Ce n'est pas un conte, mais une histoire vraie,
Un souvenir d'enfance, je ne l'ai pas oublié,
Un jour dans ma boîte à lettres, en prenant le courrier,
Derrière la petite porte, il y avait un nid douillet,
J'ai attendu longtemps et soudain j'ai vu
Un petit oiseau bleu faisant des « allées et venues »,
Et puis bien plus tard, j'ai entendu des « cui-cui »,
Dans ma boîte à lettres, il y avait une mère et ses petits,
À la fin de l'été, dans le ciel, j'ai vu mes anges s'envoler
Et je leur ai crié : « Je garde votre maison, revenez !
revenez ! »
Et à chaque saison, d'autres revenaient pour me remercier.
Dans ce poème, le nom de mes oiseaux bleus est caché.

B.A.L.

Myosotis

Jean Olivier
Illustré par Gaëtan Dorémus

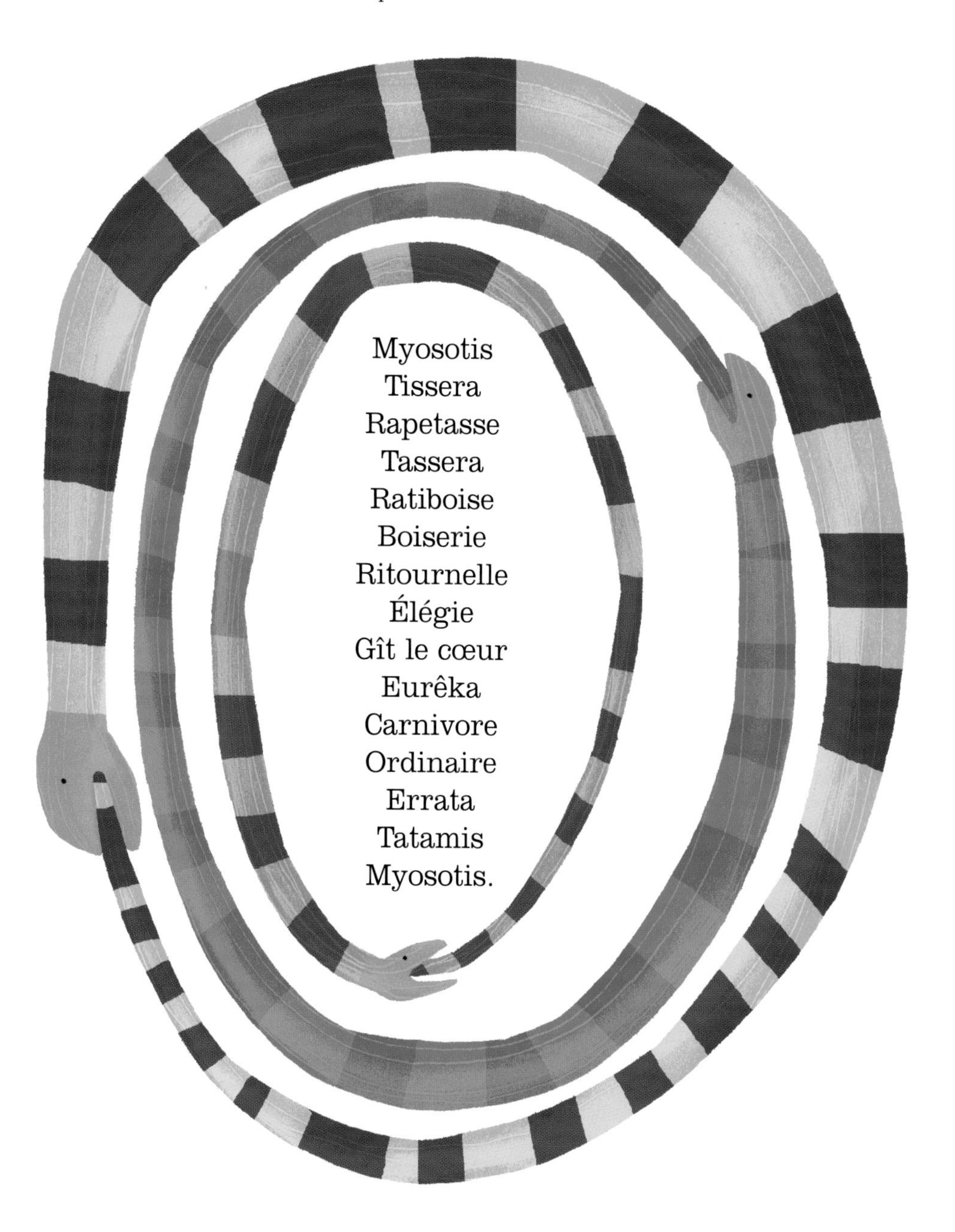

Myosotis
Tissera
Rapetasse
Tassera
Ratiboise
Boiserie
Ritournelle
Élégie
Gît le cœur
Eurêka
Carnivore
Ordinaire
Errata
Tatamis
Myosotis.

À petits petons

Luc Bérimont
Illustré par Anouck Ricard

À petits petons
À gros ripatons
À dos du tonton

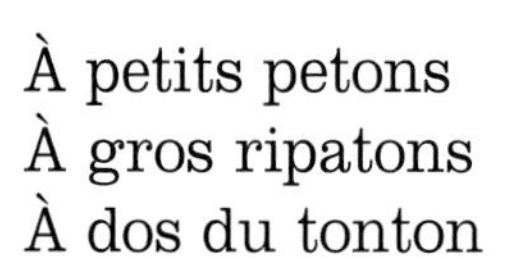

À petit mitron
Petit mirliton
À dos du pinson

À dos du maçon
Sur un limaçon
Un cheval d'arçons

À petit bidon
Sur un hérisson
Tout petit bedon

À petit mouton
Tout petits boutons
Petit puceron

À petit piton
Mais à gros ronrons
Petit patapon
Ma culotte de ficelle
C'est pour monter à l'échelle

Ma culotte en chocolat
C'est pour le Guatemala

Ma culotte en amadou
Pour aller au mont Ventoux

Ma culotte de cerises
C'est pour aller à l'église

Mais ma culotte de laine
Je l'aurai pour mes étrennes.

Le matin des étrennes

Arthur Rimbaud

Illustré par Mireille Vautier

– Ah ! quel beau matin que ce matin des étrennes !
Chacun, pendant la nuit, avait rêvé des siennes
Dans quelque songe étrange où l'on voyait joujoux,
Bonbons habillés d'or, étincelants bijoux,
Tourbillonner, danser une danse sonore,
Puis fuir sous les rideaux, puis reparaître encore !
On s'éveillait matin, on se levait joyeux,
La lèvre affriandée, en se frottant les yeux…
On allait, les cheveux emmêlés sur la tête,
Les yeux tout rayonnants, comme aux grands jours de fête,
Et les petits pieds nus effleurant le plancher,
Aux portes des parents tout doucement toucher…
On entrait !… Puis alors les souhaits… en chemise,
Les baisers répétés, et la gaieté permise !

Les points sur les i

Luc Bérimont
Illustré par Rémi Courgeon

Je te promets qu'il n'y aura pas d'*i* verts
Il y aura des *i* bleus
Des *i* blancs
Des *i* rouges
Des *i* violets, des *i* marron
Des *i* guanes, des *i* guanodons
Des *i* grecs et des *i* mages
Des *i* cônes, des *i* nattentions
Mais il n'y aura pas d'*i* verts

Présages

Maurice Carême
Illustré par Charlotte Labaronne

Rêver de chat
Présage joie.
Rêver de chien
Présage gain.
Rêver de pluie
Présage ennui.
Rêver de paon
Présage argent.
Rêver de tour
Présage amour.
Moi, que je rêve
De chien, de chat,
De mont, de drève,
De ciel, de pins,
Il ne m'arrive
Cependant rien.

La belle aventure

Lise Deharme
Illustré par Sacha Poliakova

En courant !

Dans le pré !

J'ai attrapé !

Deux petites fées !

grandes !

comme un dé à jouer.

Les voilà
dans une feuille
de magnolia.

L'une m'a dit :
Personne ne t'aime
du tout.

Ta robe de laine
ne brille pas au soleil
du tout
et tes yeux
couleur de lin
ne sont deux fleurs
que le matin
à cause de
la rosée.
Le soleil les éteint.

L'autre alors
m'a dit un secret :
Si tu mets
des boucles d'oreilles
tous les cœurs
se pendront
après !

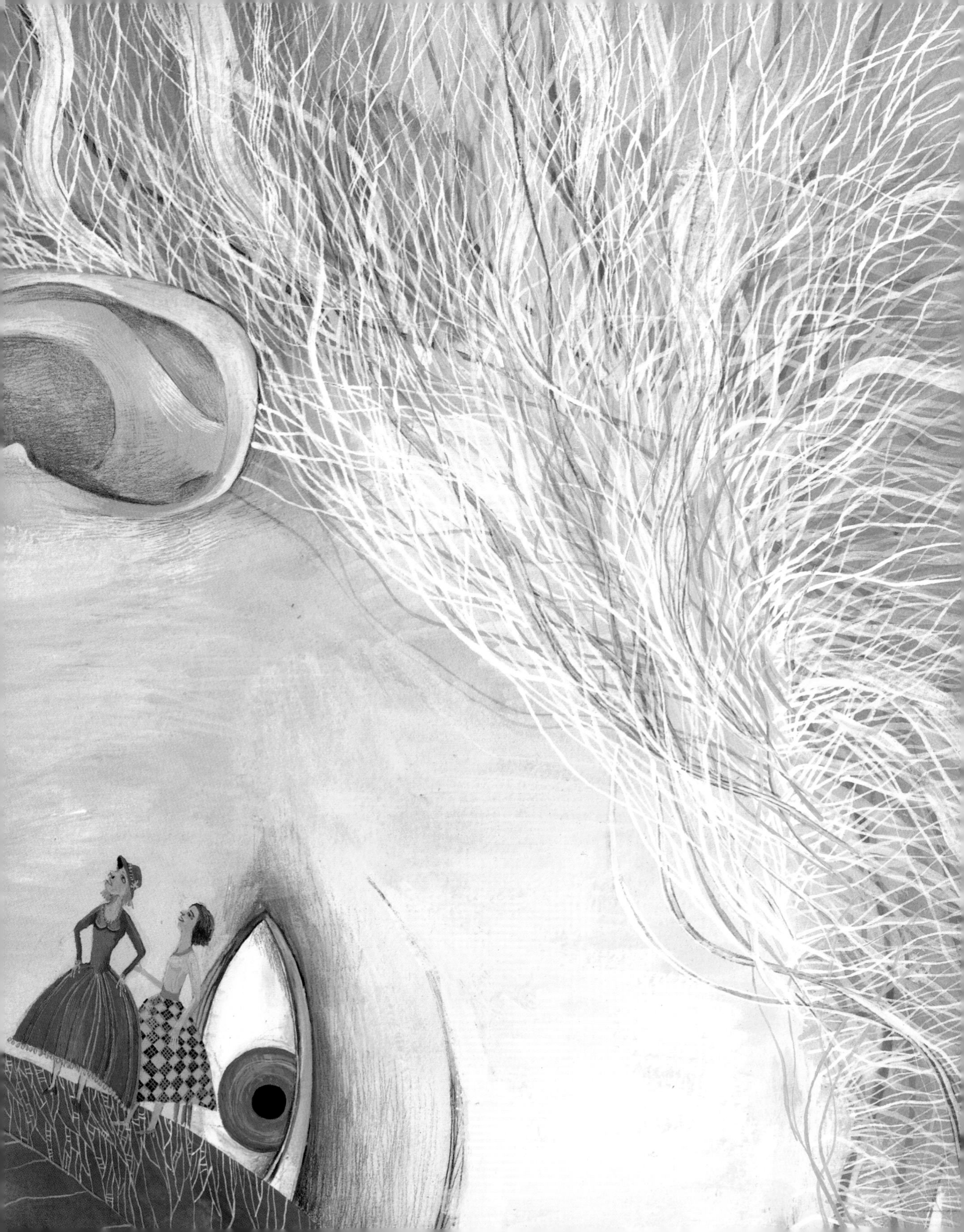

Les cheveux

Remy de Gourmont
Illustré par Mireille Vautier

Simone, il y a un grand mystère
Dans la forêt de tes cheveux.

Tu sens le foin, tu sens la pierre
Où des bêtes se sont posées ;
Tu sens le cuir, tu sens le blé,
Quand il vient d'être vanné ;
Tu sens le bois, tu sens le pain
Qu'on apporte le matin ;
Tu sens les fleurs qui ont poussé
Le long d'un mur abandonné ;
Tu sens la ronce, tu sens le lierre
Qui a été lavé par la pluie ;
Tu sens le jonc et la fougère
Qu'on fauche à la tombée de la nuit ;
Tu sens le houx, tu sens la mousse,
Tu sens l'herbe mourante et rousse
Qui s'égrène à l'ombre des haies ;
Tu sens l'ortie et le genêt,
Tu sens le trèfle, tu sens le lait ;
Tu sens le fenouil et l'anis ;
Tu sens les noix, tu sens les fruits
Qui sont bien mûrs et que l'on cueille ;
Tu sens le saule et le tilleul
Quand ils ont des fleurs plein les feuilles ;
Tu sens le miel, tu sens la vie
Qui se promène dans les prairies ;
Tu sens la terre et la rivière ;
Tu sens l'amour, tu sens le feu.

Simone, il y a un grand mystère
Dans la forêt de tes cheveux.

Le secret

René de Obaldia
Illustré par Anouck Ricard

Sur le chemin près du bois
J'ai trouvé tout un trésor :
Une coquille de noix
Une sauterelle en or
Un arc-en-ciel qu'était mort.

À personne je n'ai rien dit
Dans ma main je les ai pris
Et je l'ai tenue fermée
Fermée jusqu'à l'étrangler
Du lundi au samedi.

Le dimanche l'ai rouverte
Mais il n'y avait plus rien !
Et j'ai raconté au chien
Couché dans sa niche verte
Comme j'avais du chagrin.

Il m'a dit sans aboyer :
« Cette nuit, tu vas rêver. »
La nuit, il faisait si noir
Que j'ai cru à une histoire
Et que tout était perdu.

Mais d'un seul coup j'ai bien vu
Un navire dans le ciel
Traîné par une sauterelle
Sur des vagues d'arc-en-ciel !

Quand vient le soir

Charles Van Lerberghe
Illustré par Charlotte Labaronne

Quand vient le soir,
Des cygnes noirs,
Ou des fées sombres,
Sortent des fleurs, des choses, de nous :
Ce sont nos ombres.

Elles avancent, le jour recule.
Elles vont dans le crépuscule,
D'un mouvement glissant et lent.
Elles s'assemblent, elles s'appellent,
Se cherchent sans bruit,
Et toutes ensemble,
De leurs petites ailes,
Font la grande nuit.

Mais l'aube dans l'eau
S'éveille et prend son grand flambeau.
Puis elle monte,
En rêve monte, et peu à peu,
Sur les ondes, elle élève
Sa tête blonde,
Et ses yeux bleus.

Aussitôt, en fuite furtive,
Les ombres s'esquivent,
On ne sait où.
Est-ce dans l'eau ? Est-ce sous terre ?
Dans une fleur ? Dans une pierre ?
Est-ce dans nous ?
On ne sait pas. Leurs ailes closes
Enfin reposent.
Et c'est matin.

Question

Jacques Poitevin
Illustré par Olivier Latyk

Qu'est-ce que la nuit ?
Qu'est-ce que tu en penses ?
Qu'est-ce que tu dirais, toi ?

– La nuit, c'est une porte.
Les portes cachent toujours quelque chose.

– La nuit, c'est une pèlerine.
Les pèlerines – et davantage encore – les pèlerins
C'est pour aller loin.

La nuit, c'est une porte ?
La nuit, c'est un manteau ?

Je suspendrai le jour à mon portemanteau
Et me glisserai dans la nuit.

Les elfes

Leconte de Lisle
Illustré par Marie Delafon

Couronnés de thym et de marjolaine,
Les elfes joyeux dansent sur la plaine.

Du sentier des bois aux daims familier,
Sur un noir cheval, sort un chevalier.
Son éperon d'or brille en la nuit brune ;
Et, quand il traverse un rayon de lune,
On voit resplendir, d'un reflet changeant,
Sur sa chevelure un casque d'argent.

Les angelots

Andrée Clair
Illustré par Séverin Millet

un mélangelis d'angelots
batifolait
sur un joli nuagelet
qui se reflétait dans l'eau

et
cela faisait
sur un joli nuagelet
un mélangelis d'angelots
qui batifolait dans l'eau

Îles

Blaise Cendrars
Illustré par Hélène Riff

Îles
Îles
Îles où l'on ne prendra jamais terre
Îles où l'on ne descendra jamais
Îles couvertes de végétations
Îles tapies comme des jaguars
Îles muettes
Îles immobiles
Îles inoubliables et sans nom
Je lance mes chaussures par-dessus bord car je voudrais bien aller jusqu'à vous

Le milliardaire

Jean Tardieu
Illustré par Gaëtan Dorémus

(Pour Marie-Laure)

John apportait un plateau
sur lequel était un bateau.

Monsieur assis sur son lit
passa son habit et dit :

« Posez ça là quelque part
je termine mon cigare. »

Une heure après John revint :
la fenêtre était ouverte
dans le lit il n'y avait rien
rien non plus sous la Plante Verte
et rien du tout sur le plateau.

– Monsieur est parti en bateau.

Le navire spatial

Pierre Gripari
Illustré par Katja Gehrmann

Il était un navire...
Pardon ? Vous en avez assez ?
Allons ! Prenez patience !
Je ne veux pas vous accabler !
Promis ! C'est la dernière
Fois que je vais vous en parler !

C'était donc un navire,
Mais si beau, si fin, si léger,
Qu'il s'élevait en l'air
Au lieu de peser et flotter.
Quand on a levé l'ancre
Afin de le faire voguer,
Il a quitté la terre
Et s'est mis à monter, monter,
Jusques à la planète
Que nous avons Mars appelée.
Les Martiens, les Martiennes,
En le voyant ainsi voler
Tout autour de leur globe,
En sont restés émerveillés.
Ils l'ont pris au passage
Et l'ont fermement attaché
Pour que les enfants sages
Puissent venir le contempler.

Au moment que je parle,
Ce navire est encore ancré
Dans un grand port de Mars,
Et chacun peut le visiter
Pour quatre francs cinquante,
À condition d'avoir trois pieds,
Un œil sur la poitrine,
Sur la tête un' antenn' télé !
Tant pis pour les bipèdes :
Les Terriens n'ont pas l'droit d'entrer !

Index thématique

Les insectes et les petites bêtes

Les oiseaux

Les autres animaux

Les feuilles, fleurs et fruits

Les paysages

Dans le ciel

Les saisons

Le Printemps

L'Été

L'Automne

L'Hiver

Le temps qui passe

Les sentiments

La vie quotidienne

Les personnages

Fantaisie

Ritournelles et jeux de mots

Index des poètes

Victor Hugo
• « Qu'a donc le papillon ? » (*Autrefois, les Contemplations*), **42-43**
• « Écoute-moi Madeleine » (*Odes et Ballades*), **46-47**
• « Chanson de grand-père » (*l'Art d'être grand-père*), **90-91**
• « Fenêtres ouvertes » (*l'Art d'être grand-père*), **110-111**
• « Mirlababi, surlababo » (*les Misérables*, livre septième), **120-121**

Edmond Jabès
• « L'arbre volant » (*Petites poésies pour jours de pluie et de soleil*), © Éditions Gallimard, **66-67**

Kayo
• « Le mot caché » (*Jouer avec les poètes*), © Éditions Hachette, 1999, **124-125**

Frédéric Kiesel
• « Trèfle incarnat » (*la Poésie comme elle s'écrit* - Jacques Charpentreau ; collection Enfance heureuse), © Éditions Ouvrières, 1979, **42-43**

Jean de La Fontaine
• « Le loup et l'agneau » (*Fables*, livre I), **26-27**
• « Les deux rats, le renard et l'œuf » (*Fables*, livre X), **34-35**

Alphonse de Lamartine
• « Un ami » (*Jocelyn*, 3e époque), **28-39**
• « Myosotis » (*Poésies*), **44-45**

Michel-François Lavaure
• « La nuit l'effraie » (*Haïkaï - Jouer avec les poètes*), © Éditions Hachette, 1999, **120-121**

Leconte de Lisle
• « Les elfes » (*Poèmes barbares*), **146-147**

Bernard Lorraine
• « Le tapissier ou le pâtissier ou Leçon de diction et d'articulation » (*Jouer avec les poètes*), © Éditions Hachette, 1999, **94-95**
• « La Samaritaine » (*Jouer avec les poètes*), © Éditions Hachette, 1999, **100-101**

Michel Luneau
• « Le lapin de septembre » (Collection L'enfant et la poésie), © Le Cherche Midi, **98-99**

Guy de Maupassant
• « La chanson des rayons de lune » (*Des vers*), **60-61**
• « La neige sur la plaine la nuit » (*Des vers*), **76-77**

Pierre Menanteau
• « Nuits d'hiver » (*Pin Pon d'or*), © Françoise Lopez-Menanteau, **78-79**

Jean Mongin
• « Moment parfait » (*la Poésie comme elle s'écrit* - Jacques Charpentreau ; collection Enfance heureuse), © Éditions Ouvrières, 1979, **116-117**

Anna de Noailles
• « Voici les fleurs » (*l'Ombre des jours*), **46-47**
• « Chaleur » (*l'Ombre des jours*), **62-63**

Géo Norge
• « Monsieur » (*Famines*), © Géo Norge, **106-107**

René de Obaldia
• « Dimanche » (Extrait de « *Innocentines* »), © Éditions Bernard Grasset, **84-85**
• « Le secret » (Extrait de « *Innocentines* »), © Éditions Bernard Grasset, **140-141**

Jean Olivier
• « Myosotis » (*Jouer avec les poètes*), © Éditions Hachette, 1999, **126-127**

Jacques Poitevin
• « Question » (*Jouer avec les poètes*), © Éditions Hachette, 1999, **144-145**

Raymond Queneau
• « Il pleut » (*les Ziaux*), © Éditions Gallimard, **72-73**

• « La leçon de choses » (*le Chien à la mandoline*), © Éditions Gallimard, **102-103**

Jean Rameau
• « Les papillons » (*Poésies*), **12-13**

Charles-Ferdinand Ramuz
• « Naissance » (*Petits Tableaux*), © Marianne Olivieri-Ramuz, La Muette, Pully, **104-105**

Jules Renard
• « Le ver luisant », « Le hanneton », « L'escargot », « Le corbeau » (*Histoires naturelles*), **8-9**

Arthur Rimbaud
• « Le buffet » (*le Cahier de Douai*), **112-113**
• « Le matin des étrennes » (Extrait des « *Étrennes des orphelins* » in *Poésies*), **130-131**

Maurice Rollinat
• « L'enterrement d'une fourmi » (*les Névroses*), **20-21**

Pierre de Ronsard
• « À l'alouette » (*Gaités et épigrammes*), **8-9**
• « Mignonne, levez-vous » (*les Amours de Marie*), **50-51**

Claude Roy
• « L'enfant qui est dans la lune » (*Enfantasques*), © Éditions Gallimard, **120-121**

Joël Sadeler
• « Notre maison » (Extrait du « *Passé intérieur* »), © Michèle Sadeler, **108-109**

Sôseki
• « Accorde-moi… » (*Haïku, Rebga, Tanka : le triangle magique*, traduction de M.-R. Coyaud), © Éditions Les Belles Lettres, Paris, **80-81**

Philippe Soupault
• « Au crépuscule » (*Poèmes à lire et à rêver*), © Christine Chemetoff-Soupault, **118-119**

Jean Tardieu
• « Conversation » (*Monsieur Monsieur* - texte recueilli dans *le Fleuve caché*), © Éditions Gallimard, **92-93**
• « Le milliardaire » (*Monsieur Monsieur* - texte recueilli dans *le Fleuve caché*), © Éditions Gallimard, **152-153**

André Theuriet
• « Douce nuit » (*Poésies*), **58-59**

Charles Van Lerberghe
• « Quand vient le soir » (*la Chanson d'Ève*), © Mercure de France, 1904, **142-143**

Paul Verlaine
• « Impression fausse » (*Parallèlement*), **40-41**
• « Douceur matinale » (*la Bonne Chanson*), **52-53**

Charles Vildrac
• « La pomme et l'escargot » (*Recueil de six chansons*), © Droits réservés, **68-69**

Nous remercions les Auteurs et Éditeurs qui nous ont autorisés à reproduire textes ou fragments de textes dont ils gardent l'entier copyright (texte original ou traduction).
Nous avons par ailleurs, en vain, recherché les héritiers ou éditeurs de certains auteurs. Leurs œuvres ne sont pas tombées dans le domaine public. Nous les invitons à prendre contact avec l'éditeur.

Dans la mesure du possible, les textes reproduits respectent scrupuleusement l'orthographe et la présentation de l'édition d'origine.